nieuwbouwwijk
joggen
trainer
stopwatch
215
rugnummer
gymbroek

AVI: M5

Leesmoeilijkheid: meerlettergrepige woorden eindigend op -u, -a of -o (agenda, stratego)

Thema: hardlopen

Zwijsen

Selma Noort
Dóórlopen, Jodi!

met tekeningen van Josine van Schijndel

Naam: *Jodi van Buurwijk*
Ik woon met: *mam en pap en Livia & Julia (mijn babyzusjes)*
Dit doe ik het liefst: *hardlopen, met Tonio spelen, tv-kijken, tekenen, cake bakken*
Hier heb ik een hekel aan: *Bonno, luiers verschonen, opruimen en schoonmaken*
Later word ik: *wereldkampioen lange afstand lopen*
In de klas zit ik naast: *Polly en Tijmen*

1. Jodi's droom

Jodi en Tonio spelen stratego.
Jodi tikt Tonio's vlag aan met haar kapitein.
'Je bent erbij!'
Tonio geeft met zijn vuist een harde klap op tafel.
Het leger van Tonio vliegt door de lucht.
'Ik kan niet tegen mijn verlies!' brult hij.
Jodi springt overeind.
'Je denkt toch niet dat ik bang voor je ben!' roept ze giechelend.
Ze rukt de achterdeur open en rent de tuin in.
Tonio komt achter haar aan.
Hij brult als een leeuw en maait met zijn armen.
Jodi rent naar de deur van het smalle poortje achter de tuin.
Ze rukt aan de roestige grendel, maar Tonio is al bij haar en grijpt haar vast.
'Smeek om genade en ik laat je los!' brult hij.
Jodi duwt hem lachend weg: 'Hou op, mafkees!'
De deur naar het poortje schiet open.

Jodi rent achter de huizen van de nieuwbouwwijk door naar het veld.
Het onkruid staat er hoog tussen de grashalmen.
Er liggen stammen van gevelde bomen en hier en daar zijn jonge bosjes opgeschoten.

Het is de bedoeling dat er ook huizen gebouwd gaan worden.
Maar voorlopig is het nog niet zover.
Dus kunnen de kinderen uit de buurt er spelen.
Jodi is er veel eerder dan Tonio en laat zich hijgend op een boomstam zakken.
Als Tonio eindelijk naast haar neerploft, begint ze dromerig te praten.
'Later, als ik kampioen lange afstand lopen ben, koop ik een villa met een enorme tuin met ...'
Tonio kent Jodi's droom al.
'... een zwembad voor je vrienden,' onderbreekt hij haar grinnikend.
'... met een zwembad,' gaat Jodi onverstoord verder, 'een fontein en palmbomen en ...'
'Dan moet je wel eerst kampioen worden, troela,' klinkt een nare stem achter Tonio.
De kinderen kijken om.
Bonno, een grote jongen van elf, staat er met zijn hond Happer.
'Hoi Bonno, hallo Happer!' zegt Tonio aardig.
Hij steekt zijn hand uit naar de hond.
Bonno grijnst alleen maar.
Hij geeft een ruk aan de riem zodat Tonio Happer niet kan aaien.
Tonio trekt zijn hand terug.
'Ik kan harder lopen dan jij, hoor,' zegt Jodi.

Tonio kijkt ongerust opzij en stoot haar aan.
Maar Jodi laat zich niet tegenhouden.
'Of geloof je me soms niet?' zegt ze.
'Laat maar eens zien dan,' snauwt Bonno.
Hij legt de lus van de riem van Happer om een dikke tak.
'Blijf, Happer!' commandeert hij.
Met zijn hak trekt hij een streep in het zand.
'Vanaf hier tot de parkeerplaats,' zegt hij.
Hij trekt zijn jack uit en gooit het neer.
Hij stroopt zijn mouwen op.
Hij spuugt in zijn handen en wrijft er zijn lange haar mee uit zijn gezicht.
Jodi kan het niet helpen, ze moet erom giechelen.
Bonno kijkt haar woedend aan.
'Klaar voor de start,' roept hij, 'AF!'
Hij schiet weg als een pijl uit een boog.
Het is een valse start.
Jodi stond nog niet eens klaar.
Maar ze rent hem toch achterna, zo snel als ze kan.
De parkeerplaats komt steeds dichterbij.
Ze zit Bonno dicht op zijn hielen.
Ze bijt haar tanden op elkaar en balt haar vuisten.
Ja, ze haalt hem in!
Ze wist dat ze het kon!
Achter zich hoort ze Tonio juichen en Happer blaffen.
Bonno roept iets.

'Stom bruintje!' hoort ze hem hijgen.
Ze moet zich er niets van aantrekken.
Dóórlopen, Jodi! denkt ze.

2. Sneller dan een panter?

Jodi ligt hijgend naast Tonio in het hoge gras.
Bonno is scheldend met Happer weggelopen.
'Het was een valse start, jij rende gewoon al weg!'
riep hij zelfs.
Dat was zo oneerlijk dat Jodi alleen haar schouders
maar kon ophalen.
'Ik wist dat ik het kon vandaag!' zegt ze opgewonden.
'Je zou op atletiek moeten gaan,' zegt Tonio.
'Je hebt talent Jodi, echt waar!'
Jodi's gezicht betrekt.
'Misschien later, als mijn zusjes groter zijn.
De atletiekclub is in de stad en mijn vader en moeder
hebben geen auto.
De bus rijdt maar één keer in het uur en in de winter
is het al vroeg donker.
Je moet wel vier keer in de week trainen of zo.
Als je tenminste een echte kampioen wilt worden.
En dat is allemaal veel te ingewikkeld, zeker met de
tweeling.'

Als Jodi thuiskomt, is mam in de keuken eten aan
het koken.
'Ik heb gewonnen van Bonno met hardlopen!' roept
Jodi.
'Die jongen met die grote hond?' vraagt mam.

'Goed hoor!'
En meteen vraagt ze: 'Wil je even de tafel dekken, schat, papa komt zo thuis.'
Livia en Julia zitten in de kamer samen in de box.
Op de televisie speelt Donald Duck op een piano.
Jodi pakt de borden uit de kast.
Met een klap zet ze ze op tafel.
Livia gaat staan in de box en steekt haar armpjes naar Jodi uit.
'Jodi, Jodi!' roept ze met haar hoge stemmetje.
'Uit! Knuffe!'
'Wil je knuffelen?'
Jodi lacht naar haar kleine zusje.
'Even wachten, ik moet eerst de tafel dekken.'
Terwijl ze de vorken en messen neerlegt, dwalen haar gedachten af.
Ik ga gewoon zelf trainen, iedere dag.
Ik heb geen atletiekclub nodig om kampioen te worden, denkt ze.
De beste hardlopers komen uit Afrika.
Daar zijn ze vast ook geen lid van een club.
Jodi droomt weg.
Ze ziet zichzelf rennen door Afrika.
Ze wordt achtervolgd door een neushoorn, maar ze is sneller!
Ze wordt achtervolgd door een leeuw, maar ze is sneller!
Ze wordt achtervolgd door een panter, maar ...

'Hé, jongedame!' roept mam uit de keuken.
'Kom je nog toetjes maken of slaap je soms?'

Na het eten helpt Jodi mam met het naar bed brengen van haar zusjes.
Jodi is heel handig geworden met kleine kinderen.
Ze kan zelfs luiers verschonen.
Ze doet het niet graag, maar soms moet het wel eens.
Vanavond heeft de tweeling gelukkig geen poepluiers.
Als ze in bad zijn geweest, kunnen ze naar bed.
Mam heeft de gordijnen al dicht getrokken.
De nachtlampjes boven de twee bedjes branden.
Mam gaat in de grote stoel zitten om een verhaaltje voor te lezen.
'Mag ik nog even naar buiten?' vraagt Jodi met haar hoofd om de deur.
'Tot acht uur,' zegt mam.
'Truste!' roept Livia.
'Kusje, kusje!' roept Julia.
Jodi gaat het kamertje in en knuffelt haar zusjes:
'Welterusten, kleintjes!'

Jodi trekt haar sportschoenen aan.
Bij het veld joggen mensen.
Jodi kijkt naar de horizon.
Daar is de overkant van het veld.

Daar begint het jonge elzenbos en daar weer achter
liggen diepe polders.
Zou ze het halen, helemaal het veld rond?

Om tien over acht komt Jodi hijgend binnen.
Mam kijkt op van het journaal.
'Je bent te laat,' zegt ze.
'Ik ben ... helemaal ... het veld rond gehold!'
Jodi steunt met haar handen op haar knieën.
'Helemaal alleen?' vraagt mam.
'Dat vind ik geen prettig idee, Jodi.
Het is me daar te eenzaam.'
Ze staat op en schenkt een groot glas sap voor Jodi in.
'Hier, je zult wel dorst hebben.
Weet je wel hoeveel kilometers je hebt gerend?'
Jodi drinkt haar sap in een lange teug op en veegt
haar mond af met de rug van haar hand.
'Nee, hoeveel dan?'
Mam pakt het lege glas van haar aan.
Er klinkt bewondering in haar stem.
'Volgens mij, lieve meid, is dat rondje wel vier
kilometer!'

3. www.polderloop.nl

'Dus ik dacht: ik ga zelf trainen.
Maar ik mag niet meer alleen van mam.
Er moet iemand met me mee,' zegt Jodi tegen Tonio.
'Ik wil wel met je mee,' zegt Tonio meteen.
'Op mijn fiets, goed?
Ik heb een stopwatch.
Dan kan ik je tijd opnemen en dan zien we meteen of je vooruit gaat.'
Jodi's school staat naast de school van Tonio.
Ze hoort de bel al gaan.
'Ik zie je om drie uur,' zegt ze gauw.
'Tot straks.'

Juf Connie geeft Jodi haar tekening terug.
'Goed zo, Jodi, nu mag je kleding op haar plakken,' zegt ze.
'Leg er wel even een krant onder, anders komt je tafel onder de lijm.'
Jodi pakt haar tekening aan.
Ze doen een project over kleding in de klas.
Jodi heeft een meisje getekend op karton en nu moet ze het meisje kleren aan geven.
Jodi haalt een oude krant uit de doos in de gang.
Ze legt hem op haar tafeltje.
Bij de krat vol lapjes zoekt ze mooie kleuren uit.

Ze gaat achter haar tafel zitten en begint te knippen.
Het meisje krijgt een rokje aan van nepbont.
En een rood truitje met een grote knoop in het midden ...
Jodi heeft nog nooit een krant gelezen.
Soms leest ze wel eens de dikke letters als hij thuis op tafel ligt.
Een krant staat vol moeilijke woorden.
Een krant is voor grote mensen, dacht Jodi.
Want er staan alleen saaie en nare dingen in.
Maar nu ze hier zit te knippen, leest ze zomaar - per ongeluk - iets belangrijks:

10 KILOMETERLOOP DOOR POLDER EN ELZENBOS
jeugd t/m 12 jaar – 5 kilometer
Inschrijven voor vrijdag 15 mei

Jodi knipt bijna in haar vinger.
Snel legt ze de schaar weg.

Onze beroemde polderloop gaat eerdaags weer van start.
Al menig jaar trekt deze 10 kilometerloop publiek uit het hele land.
Jonge renners zullen hopelijk ook dit jaar weer meedoen.

Vorig jaar was er een live-uitzending op de radio en werden er zelfs tv-opnames gemaakt door Studio Sport en het Jeugdjournaal!

Jodi pakt haar schaar weer.
Ze gaat niet verder met het knippen van stofjes.
In plaats daarvan knipt ze een stuk uit de krant.

'We moeten op internet kijken,' zegt Tonio om kwart over drie.
'Dat staat hier, kijk maar.'
Hij heeft het stuk uit de krant langzaam gelezen.
Zo nu en dan moest Jodi hem een beetje helpen.
Tonio is niet zo goed in lezen.
'Weet jij hoe dat moet?' vraagt Jodi.
'Geen probleem!' zegt Tonio.
Tonio's vader en moeder werken allebei.
Zijn grote zus is meestal wel thuis, maar vandaag nog niet.
Tonio maakt de voordeur open met de sleutel die aan het touwtje om zijn nek hangt.
'Ik moet mijn moeder wel even bellen,' zegt Jodi.
Ze weet al waar de telefoon staat.
Ze speelt best vaak bij Tonio.
Tonio pakt twee pakjes drinken uit de koelkast, terwijl Jodi haar moeder opbelt.
Met hun drinken gaan ze achter de computer zitten.

Tonio klikt het internet aan.
Jodi pakt het stukje krant uit haar broekzak.
'www.polderloop.nl,' leest ze voor.
Tonio typt het in.
Het duurt even, want hij moet lang naar de letters zoeken.
Maar eindelijk drukt hij dan toch op enter.
Meteen verschijnt er een foto van de polder op het scherm.
10 kilometer polderloop! staat er met grote letters onder.
Aan de zijkant staan vakjes waarop je kunt klikken.
Jodi wijst naar het vakje **Jeugd, 5 kilometer**.
'Klik hier eens op!'
Tonio klikt het aan.
Er verschijnt tekst op het beeldscherm.
Om tien uur is de start.
Alle deelnemers moeten een startnummer hebben.
Daarvoor moeten ze zich eerst inschrijven.
'Wat is dat nou weer, inschrijven?' vraagt Jodi ongeduldig.
Tonio wijst naar een vakje met **INSCHRIJVEN** erop.
Hij klikt het aan.
Er verschijnt een formulier op het scherm.
'Hierop moet je je naam en zo invullen,' zegt hij.
'Mag ik het doen?' vraagt Jodi.
Ze duwt Tonio al een beetje opzij.

Tonio laat haar achter de computer zitten.
Hij kijkt hoe ze haar naam en adres typt.
'Je leeftijd nog,' zegt hij.
'En nu op **VERZEND** drukken.'
Zoeffff... het formulier is weg.
De foto van de polder komt weer op het scherm.
Nu pas lezen ze wat er nog meer staat.
U moet 5 euro betalen bij het afhalen van uw rugnummer op het gemeentehuis.
'Vijf euro!' zegt Jodi geschrokken.
Tonio kijkt haar aan.
'Heb je dat niet?'
Maar Jodi knikt al.
'In mijn spaarpot,' zegt ze opgelucht.
'En ik mag zelf weten waar ik het voor gebruik.'

4. Nummer 248

Tonio fietst en Jodi zit achterop.
Jodi weet de weg naar het gemeentehuis.
Tonio heeft vijf euro uit zijn eigen spaarpot bij zich.
Jodi zal het hem morgen teruggeven.
'Hier het fietspad op!' roept Jodi.
'En dan langs het hertenweitje!'
Jodi wijst met haar hand langs Tonio.
'Dat gebouw daar is het gemeentehuis,' roept ze.
Ze parkeren Tonio's fiets in een standaard op het plein.
In het gemeentehuis is het donker en stil.
Er staat een groot standbeeld in de hal van twee mensen die elkaar omhelzen.
Ze kijken ernaar en laten hun ogen wennen aan het donker.
Aan het eind van de hal zit een vrouw achter een balie.
'Kan ik jullie ergens mee helpen?' vraagt ze.
'Ik kom me inschrijven voor de polderloop,' zegt Jodi een beetje verlegen.
'Goed van je!' zegt de vrouw lachend.
'Ik kan dat niet, hardlopen, en zeker geen vijf kilometer!'
Jodi en Tonio lachen.
De vrouw kijkt in een agenda die voor haar ligt.

‘Hier staat niet dat je hier deze week terecht kunt,’
zegt ze peinzend.
Ze bladert naar de volgende pagina.
‘Ja, er is toch iemand vandaag.’
Ze wijst: ‘Die deur door en dan zie je het vanzelf.’
Jodi en Tonio gaan de deur door.
Rechts zit een man achter een tafeltje.
‘Aha, een polderloper!’ zegt hij.
‘Jongeman, wat wordt het, dertig of veertig
kilometer?’
Jodi vindt het een stom grapje.
Denkt die man soms dat alleen jongens kunnen
hardlopen?
‘Ik kom me inschrijven voor de vijf kilometer,’ zegt ze.
‘Ik kan ook tien kilometer lopen.
Maar ik ben pas negen, dus dat mag ik niet.’
Nu kijkt de man ernstig.
‘Wij zijn ook heel blij met een jongedame die vijf
kilometer loopt,’ zegt hij.
‘Heb je al een formulier ingevuld?’
‘Ja, op internet,’ zegt Tonio trots.
De man heeft allerlei formulieren uitgeprint
en bladert erdoor.
‘Jodi van Buurwijk?’ vraagt hij.
Jodi knikt.
‘Ik heb hier maar drie formulieren voor iemand van
negen jaar,’ zegt de man.

‘De rest van de deelnemers is allemaal ouder.’
Tonio geeft de man zijn vijf euro.
De man geeft Jodi een tas vol spullen.
‘Hier zit je rugnummer in, nog wat informatie en wat lekkers voor onderweg.
Er zijn mensen die heel hard gaan lopen om als eerste aan te komen.
Maar dat is niet belangrijk.
Het gaat erom dat je een prestatie levert.
Je loopt vijf kilometer hard en dat is heel knap.
Begrijp je wat ik bedoel?’
Jodi knikt: ‘Niemand hoeft te winnen.
Het gaat erom dat je het kunt, dat je het volhoudt.’
‘Nou, ik wens je succes,’ zegt de man, ‘enne...
Bij de finish krijgt je nog iets moois.’
‘Wat dan?’ vraagt Jodi verrast.
‘Een medaille natuurlijk!’ roept Tonio.
‘Een medaille aan een lint!’ lacht de man.

Buiten, bij de fiets, kijkt Jodi in het tasje.
‘Welk nummer heb je?’ vraagt Tonio.
‘Nummer 248,’ zegt ze.
‘Dat is een geluksnummer!’ zegt Tonio meteen.
‘Je bent jarig op 2 februari Jodi, en je huisnummer is 48!’

5. Happer en zijn rotbaasje!

Als Jodi na het avondeten bij het veld aankomt, zit Tonio al te wachten op de boomstam.
Ze steekt haar hand in haar broekzak en haalt er vijf euro uit.
'Bedankt voor het lenen, hier is het geld terug,' zegt ze.
'Ik heb mijn fiets bij me en mijn stopwatch,' zegt Tonio terwijl hij het geld aanpakt.
'En een flesje water voor als je onderweg dorst krijgt.'
'Nou nou, dan heeft je vriendje overal aan gedacht, bruintje,' zegt de pesterige stem van Bonno.
Tonio wordt rood in zijn gezicht.
Hij draait zich om naar Bonno en Happer die er aan komen lopen.
'Ik ben haar trainer, toevallig,' zegt hij.
'Haar trainer, laat me niet lachen,' zegt Bonno.
'En waar moet je haar dan wel voor trainen?'
'Voor de polderloop!' zegt Tonio trots.
Hij pakt zijn fiets en kijkt om naar Jodi.
'Ben je klaar om te gaan?'
'Ja, staat je stopwatch ingesteld?'
Tonio gaat op het zadel van zijn fiets zitten en kijkt op zijn stopwatch.
'Nog twintig seconden, nog tien ...' zegt hij.
'Ja, nu!'

Jodi rent weg, Tonio fietst meteen naast haar.
'Pak ze, Happer!' hitst Bonno zijn hond op.
'Bijt dat bruintje in haar hielen, kom op jongen, pak!'
Komt de hond Jodi en Tonio achterna?
Ze willen niet omkijken, want dan lacht Bonno hen natuurlijk uit.
Hoort Jodi nu hijgen?
'Komt Happer me achterna?' vraagt ze bang.
Tonio kijkt om.
Hij draait zijn stuur een beetje.
Jodi verstapt zich in een kuil omdat ze niet goed op het terrein let.
Ze struikelt.
Tonio botst tegen haar op, valt en smakt over haar heen.
Happer springt boven op de kinderen en probeert ze, luid blaffend, te likken.

Jodi heeft een tand door haar lip.
Het bloedt erg.
Haar knieën zijn geschaafd en haar enkel doet pijn.
En haar hoofd bonkt, want daar kwam het stuur van Tonio's fiets keihard tegenaan.
Tonio heeft zijn stuur in zijn maag gekregen.
Hij ziet bleek van schrik en pijn.
Zijn handen zijn geschaafd en hij heeft zijn stopwatch laten vallen.

Bonno is geschrokken van de valpartij.
Hij riep Happer snel terug en rende hard weg.
'Die vuile rothond!' zegt Jodi half huilend.
'En die vuile rot-Bonno.
Hij moet me altijd hebben en hij scheldt me de hele tijd uit voor bruintje!'
Tonio heeft Jodi nog nooit zien huilen.
Hij gaat naast haar zitten en haalt een groezelig papieren zakdoekje uit zijn broekzak.
'Hier, houd dit tegen je lip,' zegt hij.
'Happer wilde alleen maar spelen, hij likte ons toen we op de grond lagen.
Het is geen rothond, maar hij heeft wel een rotbáás!'
Jodi drukt het zakdoekje tegen haar lip.
'Ik wou echt trainen vanavond,' zegt ze.
Een dikke traan kruipt over haar wang.
Tonio trekt zijn flesje water uit zijn jaszak.
'Hier, drink een beetje,' biedt hij aan.
Maar Jodi schudt haar hoofd.
'Ik ga naar huis,' snikt ze.
Ze staat op en strompelt weg.

Tonio blijft zitten met zijn flesje.
Hij kijkt Jodi somber na en krabbelt dan overeind om zijn stopwatch in het hoge gras te zoeken.

Als ik aan mam vertel wat er is gebeurd, mag ik niet meer gaan hardlopen op het veld, denkt Jodi.
Dan kan ik niet meer trainen.
En als ik vertel dat Bonno me uitscheldt voor bruintje, dan wil ze natuurlijk met zijn vader praten.
Daar komt alleen maar meer ruzie van.
Straks heeft de hele buurt ruzie met elkaar!
Nu Tonio haar niet meer kan zien, hoeft ze zich niet meer groot te houden.
Jodi snikt het uit.
'Die vuile stink-Bonno!'

Mam is in de keuken en ziet haar de tuin in komen.
Geschrokken maakt ze de deur voor haar open.
'Lieverd, wat is er gebeurd?'
'Ik ben over een fiets gevallen,' liegt Jodi.
Mam neemt Jodi voorzichtig in haar armen.
'Arme schat,' zegt ze troostend en ze kust Jodi in haar haren.
'Mijn enkel en mijn knieën doen zeer!'
Jodi verbergt haar warme gezicht tegen mams schouder.

Lieve mam, die altijd zegt dat mensen elkaar nooit mogen uitschelden.
Dat alle mensen gelijk zijn.
Waren alle mensen maar zoals mam.

Mam laat Jodi op de keukentafel zitten, wast haar
knieën en voelt aan haar enkel.
Jodi kalmeert al en kijkt gespannen toe.
'Het valt gelukkig allemaal wel mee, morgen kun je
weer trainen, hoor,' zegt mam.
Jodi zucht van opluchting.
Mam geeft haar een ijsklontje om tegen haar lip te
houden.
'Ik wil het heel graag halen, die vijf kilometer,'
zegt Jodi.
Mam geeft haar een glas sap.
'Jodi,' zegt ze.
'Het is leuk dat je meedoet en wij komen je
aanmoedigen.
Maar als het niet lukt, is het ook niet erg.
Je bent nog maar negen jaar.
Eén van de jongste deelnemers, dus het is al
supergoed dat je meedoet.
En als het je niet lukt, dan probeer je het volgend
jaar gewoon weer.'
Jodi knikt.
'Maar mam, als ik het haal, krijg ik een medaille.
Wist je dat eigenlijk wel?'
'Zozo!' zegt mam.
'En dan ga ik die op school laten zien!'
'Als het lukt,' zegt mam.
'Ja, als het lukt.'

Jodi kan gelukkig alweer een beetje lachen, ook al doet haar lip nog erg zeer.

6. 'Happer, hierrrrrr...!'

Onderweg naar school komt Jodi Tonio tegen.
'Hoe gaat het met je enkel?' vraagt hij meteen.
'Kun je nog wel rennen?'
'Het gaat wel weer,' zegt Jodi.
'Weet jij zeker dat Happer ons likte toen wij gevallen waren?
Probeerde hij echt niet te bijten?'
'Nee echt niet, hoezo?' zegt Tonio.
'Dan weet ik iets voor als Bonno weer terugkomt,' zegt Jodi geheimzinnig.
'Dus je gaat vanavond weer trainen?' vraagt Tonio blij.
'Ja, kom jij ook weer?'
'Ik ben mijn stopwatch kwijt, ik kon hem nergens meer vinden,' zegt Tonio spijtig.
'O, dat wist ik niet,' zegt Jodi geschrokken.
'Nou ja, het is toch geen race om het snelste te zijn, dus dan maar trainen zonder stopwatch.
Het stond alleen wel stoer.
Ik voelde me net een echte trainer,' zegt Tonio.
De bel van Jodi's school gaat alweer.
'Tot straks!' roept ze tegen Tonio.
Ze rent naar school, voorzichtig en nog een beetje stijf.
Maar toch, ze rent!

Het motregent en de hemel is donker en somber.

Maar een echte hardloper laat zich door een beetje regen niet tegenhouden.

Jodi en Tonio komen tegelijk aan op het veld.
Jodi in haar gymbroek en haar gymshirt.
Tonio op zijn fiets in een oranje regencape met een capuchon.
Even later rent Jodi, rustig en gelijkmatig.
Tonio fietst kalm een stukje achter haar.
Het is rustig en stil op het veld nu het regent.
De meeste mensen zijn binnen gebleven.
Bonno en Happer gelukkig ook.
Jodi concentreert zich op het terrein.
Ze past op voor kuilen, bobbels en gladde stukken.
Ze speelt een spel met zichzelf.
Ik ben in Afrika en ik ren mee met neushoorns, leeuwen en panters ...
Ze haalt rustig en regelmatig adem.
Het gaat goed, het gaat zelfs héél goed!

De volgende avond regent het ook en daarna blijft het bewolkt en kil weer.
Bonno en Happer zijn nergens te bekennen.
Jodi en Tonio zijn hem al bijna weer vergeten.
Nog een week en dan is op zaterdagmiddag de polderloop.
Pap is al een keer komen kijken bij het trainen van Jodi.

‘Wat is dat eigenlijk een afstand, dat hele veld rond!’ zei hij vol bewondering.
Hij sloeg Tonio op zijn schouders en noemde hem een ‘reuzentrainer!’
Mam is ook een keer komen kijken met de tweeling in de kinderwagen.
Ze riep: ‘Hup Jodi, zo gaat-ie goed, Jodi!’

En dan, op een avond, staat Bonno er opeens weer met Happer.
Tonio stoot Jodi aan en wijst met een knikje van zijn hoofd.
‘O, nee hè!’ kreunt Jodi.
Maar dan licht haar gezicht op.
Ze had immers een plannetje met Happer.
Ze doen net alsof ze Bonno niet zien.
Net als iedere avond gaan ze rustig van start.
Na een poosje horen ze Bonno’s stem weer: ‘Pak dat bruintje, Happer!’
En Jodi hoort het hijgen van de hond.
Maar nu gaat het anders.
‘Happer, Happer,’ lokt ze met haar liefste stemmetje.
‘Loop je met ons mee?
Lekker rennen, het hele veld rond?
Honden houden toch van rennen?
Kom maar, hondje, kom maar Happertje!’
De hond heeft zijn tong uit zijn bek hangen.

Jodi kan goed hardlopen, maar Happer ook.
Hij springt over kuilen en graspollen, hij houdt Jodi goed bij.
Tonio zit lachend op zijn fiets.
'Hoor je Bonno, Jodi?' roept hij.
Jodi hoort Bonno, heel in de verte nu.
'Happer, hierrrrrr, kom hierrrrrrr!
Kom bij het baasje, nu meteen, Hápper!'
Honden hebben scherpe oren.
Happer zou Bonno toch moeten horen, zou je zo zeggen.
Maar hij rent heerlijk met zijn staart in de wind met Jodi mee en hij kijkt niet eens om!
Bonno zal daar moeten wachten tot Happer het hele veld is rond gerend.
Net goed!

7. Zenuwachtig

Op de dag van de polderloop is Jodi ineens vreselijk zenuwachtig.
'Ik moet er om twee uur zijn, hoor mam!' zegt ze voor de honderdste keer.
'Ja, dat weet ik nu wel.
Het is pas half één, Jodi, we hebben tijd genoeg.
We eten hier eerst nog even rustig een boterham,' zegt mam.
Jodi trappelt van ongeduld.
Ze strekt haar beenspieren alvast en rent een paar keer op en neer in de achtertuin.
Gelukkig komt Tonio eraan.
Jodi trekt hem zowat de tuin in.
Nu Tonio er is, gaat de tijd vlugger om.
Pap en mam dekken de tafel en mam bakt een ei voor iedereen.
'Als je hardloopt, moet je goed eten,' zegt pap.
'En als je trainer bent ook, anders val je flauw van de spanning!'
En hij mept Tonio alweer op zijn schouders.
De tweeling stopt braaf blokjes brood in hun kleine mond.
'Ei ete, Jodi!' zeggen ze stralend.
'Jullie komen straks naar mij kijken en dan moeten jullie "Hup Jodi" roepen,' zegt Jodi.

De kleine meisjes kijken haar verbaasd aan.
'Hup Jodi!' doet Jodi voor.
'Up Jodi,' zegt Livia haar zacht na.
'Goed zo!' roept iedereen en Livia kijkt blij om zich heen.
'Nou jij, Julia!' probeert Jodi.
Maar Julia kijkt haar boos aan en roept alleen maar keihard: 'Nee!'
Daar moet iedereen om lachen.
Zo gaat de tijd snel om.

Jodi trekt haar gymbroek en haar shirt aan.
Ze trekt haar sokken strak op, zodat ze geen blaren zal krijgen.
Pap maakt haar schoenen voor haar vast; niet te strak en niet te los.
Mam speldt het rugnummer met vier kleine veiligheidsspeldjes op haar T-shirt vast.
Intussen speelt Tonio met Livia en Julia.
Ze horen hem een liedje zingen.
Mam knipoogt naar Jodi, die zenuwachtig zit te wiebelen.
'Zit het nummer nu goed vast?' vraagt Jodi.
Mam knikt.
'Het is een geluksnummer, wist je dat?
Je bent jarig op 2 februari en ons huisnummer is 48!'
Jodi draait zich om en lacht.

'Dat zei Tonio ook al, precies hetzelfde!'

Het is een heel gedoe om met twee kleine kinderen op de fiets ergens heen te gaan.
Pap heeft een stoeltje achterop.
Mam heeft een stoeltje achterop en een klem voor de kinderwagen.
Er moet een tas mee met luiers, drinken en rozijnen om de tweeling zoet te houden.
Jodi en Tonio staan allang te wachten als pap en mam eindelijk aankomen met de tweeling.
Met zijn allen fietsen ze om het veld heen naar de start, die meteen ook de finish is.
Bij het Elzenbos is het druk.
Er zijn hardlopers in strakke pakken die alvast wat heen en weer lopen.
Het publiek zoekt een goed plekje om te kijken.
De mensen willen eerst zien hoe de hardlopers vertrekken.
En dan willen ze natuurlijk weer zien wie er het eerst aankomt.
Pap parkeert alle vier de fietsen in een fietsenrek.
Mam klapt de kinderwagen uit en tilt de tweeling erin.
Intussen kijken Jodi en Tonio om zich heen.
Tonio stoot Jodi aan.
'Kijk daar is Polly uit je klas.

Ze komt je aanmoedigen.
En moet je zien, daar!
Die vrouw met die camera is van het Jeugdjournaal, kijk maar!'
Jodi rekt zich uit en kijkt langs zijn wijzende vinger.
'Ik zie haar,' zegt ze opgewonden.
Mam komt bij Jodi en Tonio staan.
'En die jongen daar, is dat die Bonno niet met zijn hond?' vraagt ze en ze wijst naar de bosrand.

START

8. Wat voert Bonno in zijn schild?

Mam heeft een goed plekje gevonden met haar grote wandelwagen.
De tweeling zit zoet om zich heen te kijken.
Pap en Tonio lopen met Jodi mee naar de start.
Er staan al veel mensen klaar om weg te rennen.
'Nu sta ik helemaal achteraan,' zegt Jodi beteuterd.
Een man van de organisatie hoort haar.
'Eerst vertrekken de grote mensen, want die moeten verder lopen,' legt hij uit.
'En een kwartier later de kinderen, dus maak je maar niet ongerust!
Ik zal je een tip geven, meisje.
Zodra de groten straks wegrennen, ga je meteen bij de start staan.
Dan sta je vooraan en dat is de beste plek.
Heb je je rugnummer al op?'
Jodi laat hem haar rugnummer zien.
'O, dat is een geluksnummer!' zegt de man met een knipoog naar pap en Tonio.
'Want eh... ik heb twee kinderen en ik ben 48 jaar!'

De grote mensen zijn weggerend.
Jodi staat op een goede plek bij de start.
Pap en Tonio zijn teruggegaan naar mam en de tweeling.

Tonio kijkt naar Jodi, die zich concentreert op de wedstrijd.
Hij ziet dat ze rustig ademhaalt.
Nu en dan huppelt ze even op haar plaats om haar spieren warm te houden.
Tonio steekt zijn duim naar haar op, maar ze ziet hem niet.
Hij kijkt verder, naar de andere kinderen.
Er staat een kleine jongen die er vastberaden en gespierd uitziet.
Maar de meeste kinderen zijn ouder en groter dan Jodi.
Ze zien er lang niet allemaal uit als hardlopers.
Sommige kinderen zijn wat zwaarder en dat is een nadeel.
Sommige kinderen zijn te druk bezig met praten, uitsloven en gek doen.
Die doen gewoon mee, zomaar voor de lol en om het te proberen.
Terwijl hij daar zo staat te kijken, ziet Tonio Bonno weer.
Hij sluipt weg, het Elzenbos in.
Wat voert Bonno in zijn schild?
Tonio krijgt een naar voorgevoel.
Bonno ziet er zo stiekem uit.
Hij zal toch niet ... iets met Jodi om haar te pesten?
'Ik ben zo terug,' zegt Tonio tegen pap en mam.

START
25
201

Hij wringt zich tussen de mensen door en probeert door de drukte bij Bonno te komen.
Zo komt het dat hij het startschot wel hoort, maar de start niet ziet.

9. Gaat het nog?

Jodi speelt een spel met zichzelf.
Het spel heet: ik ren door Afrika.
Jodi doet alsof ze met wilde dieren mee rent:
met leeuwen, neushoorns en panters.
Zo is het helemaal niet saai om een lange afstand te rennen.
In het begin zijn er veel kinderen om Jodi heen.
Ze moeten oppassen dat ze niet tegen elkaar opbotsen of over elkaars benen vallen.
Maar na verloop van tijd komt er steeds meer afstand tussen de kinderen.
Een paar grote kinderen rennen nog vlak bij haar, net als een kleine, gespierde jongen.
Jodi heeft al eens van opzij naar hem gekeken.
Hij ziet er vastberaden uit.
En ook alsof hij veel oefent.
Die jongen ziet eruit als een echte atleet.
Maar ze moet niet op de andere kinderen letten!
Ze moet zich concentreren!
Jodi speelt weer dat ze in Afrika loopt en let op haar ademhaling.
En ze let goed op het pad, waar nu en dan een hobbel in zit.
Het helpt dat ze veel heeft getraind de laatste twee weken.

Ze heeft al twee kilometer gelopen en ze is nog helemaal niet moe.

Tonio kijkt zoekend om zich heen.
Waar zijn Bonno en Happer nou gebleven?
Wacht, zwaait daar niet de staart van Happer vrolijk tussen de bosjes?
Tonio sluipt het bos in.
Ja, daar loopt Bonno.
Hij heeft een grote stok in zijn handen en slaat ermee tegen de brandnetels.
Tonio zorgt ervoor dat hij ver achter hem blijft.
Bonno loopt dwars door het bos.
Zo komt hij een tiental meters voor de finish uit.
Daar blijft hij rondhangen en met zijn stok slaan.
Happer loopt overal te snuffelen.
Gelukkig ruikt hij Tonio niet, die van achter een boom toekijkt.
Tonio wil de wedstrijd graag zien.
Bonno doet geen kwaad, dus waarom gaat hij niet terug naar pap en mam?
Hij weet niet precies waarom hij in het bos blijft.
Het is een voorgevoel; een stemmetje in zijn hoofd dat hem waarschuwt.

Jodi, twee grote kinderen en de kleine jongen lopen nu helemaal voorop.

Zo nu en dan staat er een supporter of iemand van de organisatie langs de kant.
Ze bieden flesjes water aan en roepen: 'Goed zo jongens, zet hem op!'

Na vier kilometer blijven de twee grote kinderen wat achter.
Alleen de kleine jongen loopt zonder een spoortje van vermoeidheid met Jodi mee.
Jodi wordt nu wel moe.
Ze loopt harder dan toen ze trainde.
Dat komt door de jongen die haar steeds op de voet blijft volgen.
Ik moet in mijn eigen tempo blijven lopen, denkt ze.
Ik moet mijn Afrikaspel spelen.
Maar Jodi struikelt en ze raakt het goede tempo kwijt.
Ho, dit gaat niet goed, denkt ze geschrokken.
Blijf nou rustig lopen, Jodi.
Het duurt even voor ze zich herstelt.
De kleine jongen is naast haar komen lopen.
'Gaat het?' vraagt hij aardig.
'Ja,' hijgt Jodi.
'Gewoon rustig blijven lopen, je doet het hartstikke goed,' zegt de jongen.
Hij blijft naast Jodi lopen, het kost hem niet de minste moeite.

Hij passeert haar niet, maar Jodi begrijpt dat hij dat best kan als hij dat wil.

10. Dóórlopen, Jodi!

Tonio ziet de eerste hardlopers aankomen in de verte.
Is Jodi erbij?
Hij ziet de kleine jongen voorop lopen en Jodi achter hem.
Wat doet Bonno daar nou?
Hij laat zich plat in het hoge gras vallen en houdt zijn stok klaar om ...
Ineens begrijpt Tonio het!
Hij wil de stok uitsteken boven het pad zodat Jodi zal vallen!
Hoe bestaat het!
Hoe kan hij zo'n hekel hebben aan Jodi, alleen maar omdat ze bruin is?
De kleine jongen en Jodi zijn al vlak bij Tonio.
Tonio wil schreeuwen, maar als hij dat doet, zal Jodi stilstaan en de wedstrijd zeker verliezen.
Tonio begint te rennen.
Hij rent als een panter, zo snel heeft hij nog nooit gehold.
De kleine jongen loopt Bonno voorbij.
Nu komt Jodi eraan!
Bonno steekt de stok laag boven het pad uit de bosjes en grinnikt vals.
Happer hoort Tonio aankomen en springt naar hem toe om te spelen.

Maar Tonio duikt over hem heen.
De stok klettert op het pad.
Jodi hoort hem vallen, ziet hem en springt er overheen.
Ze hoort Bonno 'Au, niet doen, au!' roepen.
En ze hoort Happer blaffen.
Jodi aarzelt en mindert vaart.
Maar dan hoort ze Tonio's stem schreeuwen:
'Dóórlopen Jodi, dóórgaan!'
Ze hoort aan zijn stem dat hij wil dat ze doet wat hij zegt.
Dus ze holt verder achter de kleine jongen aan.
Ze is zo moe dat ze niet moet gaan stilstaan.
Ze weet niet of ze dan weer opnieuw kan opstarten en verder kan lopen.
Als ze nu stilstaat, wil ze alleen nog maar in het gras gaan liggen hijgen!

In de verte komt de finish in zicht.
Er staan nu veel mensen langs de kant.
Pap en mam, Polly en de tweeling.
Ze roepen: 'Hup Jodi, kom op Jodi, houd vol!'
Jodi hoort de stemmetjes van Livia en Julia: 'Jodi, Jodi, up!'
Jodi kijkt opzij en zwaait.
De kleine jongen is al vlak bij de finish.
Nog tweehonderd meter ...

De mensen juichen, roepen en joelen.
... en Jodi gaat ook over de finish!
Het is gelukt!
Ze heeft vijf kilometer hard gelopen!

Iemand hangt Jodi een prachtige medaille om haar nek.
Daarna omhelzen pap en mam Jodi.
'Wat ontzettend knap van je, lieverd!
En wat een mooie medaille!'
Jodi steunt hijgend met haar handen op haar benen.
De kleine jongen staat naast haar.
Hij wordt ook gefeliciteerd door allemaal mensen.
De vrouw van het Jeugdjournaal vraagt aan hem:
'Hoe ging het, was het zwaar?'
De jongen kijkt opzij naar Jodi.
'Ik loop altijd helemaal alleen vooraan, maar vandaag niet,' zegt hij.
Hij wijst naar Jodi en lacht tegen haar.
'Hoe oud zijn jullie en hoe heten jullie?' vraagt de vrouw.
'Ik heet André, ik ben elf en klein voor mijn leeftijd,' zegt de jongen.
Ze houdt haar microfoon nu onder Jodi's neus.
'Ik heet Jodi, ik ben negen en ik ben lang voor mijn leeftijd,' zegt Jodi.
Ze bloost als André haar vol bewondering aankijkt.

'Misschien kunnen we wel eens samen trainen,' zegt hij spontaan.
'Je hebt echt heel erg goed gelopen, weet je!'
'Ja, dat wil ik wel, maar ik heb wel mijn eigen ...'
Jodi kijkt zoekend om zich heen.
Tonio is aan komen rennen uit het bos.
Hij staat hijgend en trots naast haar.
Ze pakt hem bij zijn arm.
'... mijn eigen toptrainer,' maakt ze haar zin af.

Die avond is het feest bij Jodi thuis.
André is gekomen met zijn vader.
En Tonio is gekomen met zijn hele familie.
Pap speelt op zijn gitaar.
De tuintafel staat vol lekker eten en er hangen lampions in de tuin.
Tonio, Jodi en André grillen worstjes en bedenken een nieuw trainingsprogramma.

Op het veld zit een jongen alleen op de boomstam.
Een jongen met een nors gezicht vol schrammen.
Een jongen met een blauw oog.
Dat kwam door de vuist van Tonio.
De jongen heeft niet iemand zoals mam die alles goed kan uitleggen.
Dat je elkaar niet moet uitschelden en dat iedereen gelijk is.

Dat is jammer voor hem.
Gelukkig heeft hij toch een lieve, trouwe vriend.
Het is Happer, die naar hem opkijkt en zijn
hand likt ...

Jodi zit in de klas naast Polly (zie pagina 41), haar beste vriendin. Polly is erg technisch en zet een heel bijzondere machine in elkaar. Wil je weten wat voor machine? Lees dan 'Techno Polly'.

In deze serie zijn de volgende Bikkels verschenen:

Dóórlopen, Jodi!
Techno Polly
De laatste bocht
De ketting van één miljoen
Circus Harlekijn
Tijmen, de tijdreiziger
Dat gaat naar Den Bosch toe
Plankenkoorts

LEESNIVEAU

		ME	ME	ME	ME	ME		
AVI	S	3	4	5	6	7	P	
CLIB	S	3	4	5	6	7	8	P

hardlopen

Toegekend door Cito i.s.m. KPC Groep

1e druk 2008

ISBN 978.90.276.7307.7
NUR 282

Illustraties: Josine van Schijndel

Vormgeving: Rob Galema
Uitgeverij Zwijsen B.V., Tilburg

Voor België:
Zwijsen-Infoboek, Meerhout
D/2008/1919/125

P
FINISH